C0-AMO-203

Köln

Historische Fotos: Historia Verlag, Tel. 0 41 39 / 69 59 09
Satz: Werbeagentur Müller-Hilgerloh, Hamburg
Gesamtherstellung: Komet MA-Service und Verlagsgesellschaft mbh, Frechen
ISBN 3-89836-126-8

Inhaltsverzeichnis

Einleitung

Vor über 2000 Jahren als römisches Heerlager gegründet, wurde Köln im Jahre 50 n. Chr. zum Hauptort der Ubier, zum römischen »Colonia«, erhoben. Im Laufe der Jahrhunderte entwickelte sich Köln zu einer lebendigen Kultur-, Wirtschafts- und Medienmetropole.

Die Einflüsse der römischen Vergangenheit sind auch heute noch an vielen Stellen sichtbar, wie Sie bei einem Rundgang durch die Stadt feststellen werden. Eigelstein-, Hahnen- und Severinstor sind drei Tore, die noch von den alten Befestigungsanlagen, die damals in Europa die gewaltigsten waren, erhalten geblieben sind.

785 n. Chr. wurde Köln aufgrund seiner beständig wachsenden Bedeutung zum Erzbistum. Die vielen großen Kölner Kirchen, die sich zu besichtigen lohnen, legen Zeugnis von der religiösen Vergangenheit der Stadt und seiner Einwohner ab.

Das quirlige Köln mit seinem großen Einzugsgebiet und der europaweit dicht besiedelsten Innenstadt ist an allen Tagen im Jahr voll. Vom Hauptbahnhof über die Domplatte die Hohe Straße am WDR entlang, über den Gürzenich die Schildergasse hinauf zum Neumarkt, weiter zum Hahnentor, am Ring entlang, die Ehrenstraße zurück über die Breite Straße, bis man wieder auf die Hohe Straße trifft – überall herrscht großes Gedränge und geschäftiges Treiben.

Wenn Sie sich durch diese Einkaufsmeilen gedrängt, die vielen Geschäfte, exklusiven Boutiquen und Einkaufspassagen gesehen haben, ist es eine Erholung, an der Rheinpromenade entlangzuspazieren, durch die vielen, kleinen Gassen der Altstadt zu schlendern und sich in einem der vielen Cafés, Restaurants oder Kölsch-Kneipen ein Kölsch servieren zu lassen.

Die Kölner Altstadt ist voller Zeugnisse der Vergangenheit, sei es der römische Abwasserkanal oder die Mikwe, eine rituelle Badeanstalt der jüdischen Gemeinde des Mittelalters, sei es das Prätorium unter dem Rathaus oder das Rathaus mit seiner Renaissancelaube aus dem 16. Jahrhundert. Der im frühen 15. Jahrhundert entstandene Rathausturm spiegelte damals das Selbstbewusstsein des Bürgertums wider.

Ein Muss für jeden Kölnbesucher ist selbstverständlich der über Jahrhunderte hinweg entstandene Kölner Dom im Zentrum Kölns. Er war geplant als größte Kathedrale der Welt und gehört zu den bedeutendsten Bauwerken der Christenheit. Wenn Sie mit der Bahn nach Köln kommen, haben Sie einen beeindruckenden Blick auf die beiden Türme des Kölner Doms. Erst 1880 wurde der Dom fertig gestellt – fast 1000 Jahre nach dem ersten Entwurf. Fertig ist der Dom allerdings nie. Davon zeugt die Dombauhütte, die damit beschäftigt ist, jahrein, jahraus die Umweltschäden an diesem monumentalen Bauwerk zu beseitigen. Die Dombauhütte finanziert sich durch Spenden, staatliche Zuschüsse, die Kathedralsteuer und zum Teil durch die Dombaulotterie, deren Losbuden man überall sieht.

Es ist faszinierend, in dem riesigen Kirchenschiff zu stehen, sich den kostbaren Domschatz anzusehen und die 509 Stufen des Südturmes zu besteigen – vorbei an der größten schwingenden Glocke der Welt, der Petersglocke, oder, wie der Kölner sie nennt, der »decke Pitter«, hinauf auf die 97 m hohe Aussichtsplattform. Belohnt wird man mit einem herrlichen Blick über Köln und die Kölner Bucht, die vom Vorgebirge bis zum Bergischen Land reicht.

Nicht unerwähnt bleiben dürfen die vielen Kölner Museen, die eine breite Palette an Interessantem zu bieten haben. Allen voran das Römisch-Germanische Museum zu Füßen des Kölner Doms mit dem bekannten Dionysosmosaik, das Wallraf-Richartz-Museum und das Museum Ludwig mit dem Agfa-Photo-Historama, das Imhoff-Stollwerck-Museum, das Stadtmuseum, das Museum für Angewandte Kunst und das Museum für ostasiatische Kunst, das am Aachener Weiher liegt.

Zum Pflichtprogramm gehört außerdem ein Besuch des Mediaparks, des Zoos, des Hauses »4711« direkt neben der Oper, der am Dom gelegenen Philharmonie, des Overstolzenhauses, des Bayenturms und des Rheinauhafens.

Auf eine Entdeckungsreise ganz anderer Art können Sie im Vringsveedel (Severinsviertel) in der Südstadt gehen – angesichts des lebendigen Treibens fällt es leicht, die Kölner und ihre Lebenseinstellung kennen zu lernen.

Wir hoffen, Sie ein wenig neugierig auf diese faszinierende Stadt gemacht zu haben, und wünschen viel Spaß beim Betrachten der Bilder und beim Entdecken dieser facettenreichen Stadt am Rhein.

Historische Daten

38 v. Chr.
Caesar siedelt die Ubier im heutigen Kölner Stadtgebiet an.

50 n. Chr.
Köln wird zur Stadt erhoben, nachdem es jahrzehntelang ein römisches Heerlager war.

90 n. Chr.
Köln wird Hauptstadt von Niedergermanien.

200 n. Chr.
Mit den römischen Soldaten hält auch das Christentum Einzug in Köln.

785 Das Erzbistum Köln wird durch Karl den Großen gegründet.

881 Köln wird von den Normannen überfallen und zerstört.

1164 Der Reichskanzler und Kölner Erzbischof Rainald von Dassel bringt die Reliquien der »Heiligen Drei Könige« nach Köln.

1180 Die alten Römerbefestigungen werden geschleift und durch eine neue gewaltige Stadtmauer ersetzt. Drei Tore, Severins,- Hahnen- und Eigelsteintor, sowie einige Mauerreste legen noch heute im Stadtbild davon Zeugnis ab.

1248 Der Grundstein des Kölner Doms wird gelegt. Er soll als Grabeskirche die mächtigste Kathedrale nördlich der Alpen werden. Im 16. Jahrhundert werden die Bauarbeiten eingestellt und erst im Jahre 1880 wird der Dom eingeweiht.

1259 Köln erhält das Stapelrecht, was erheblich zum Aufblühen der Wirtschaft beiträgt.

1288 Schlacht bei Worringen, die Kölner Bürger besiegen den Erzbischof und sein Heer.

1348 In Köln bricht die Pest aus.

1349 In Folge der Pest kommt es zum Judenprogrom.

1388 Kölner Bürger gründen und finanzieren die erste städtische Universität, die 1798 von der französischen Besatzung aufgehoben wird.

1396 Die Handwerkerzünfte setzen sich gegen den Stadtadel durch und erkämpfen eine neue Verfassung.

1618 – 1648
Die freie Reichsstadt Köln erklärt sich im Dreißigjährigen Krieg für neutral und übersteht diese Zeit unbeschadet.

1794 Französische Truppen besetzen Köln. Nach dem Vorbild der französichen Revolution wird mit alten Rechten und Gesetzen aufgeräumt.

1797 Die Protestanten erhalten Bürgerrechte.

1802 Die erste deutsche Handelskammer wird in Köln gegründet.

1815 Ende der Franzosenzeit. Auf dem Wiener Kongress erhalten die Preußen Köln.

1859 Die erste feste Rheinbrücke wird gebaut.

1881 Die Stadtmauer wird geschliffen, um Platz für weitere Industrieansiedlungen zu erhalten. An Stelle der Stadtmauer treten die Ringstraßen.

1917 Konrad Adenauer wird Oberbürgermeister.

1919 Wiederbegründung der Kölner Universität.

1924 Gründung der Köln Messe.

1933 Adenauer wird von den Nazis abgesetzt.

1939 – 1945
Köln wird zu 72 % zerstört.
Die Altstadt zu 90 %.

Danach beginnt der rasante Aufbau Kölns.

Introduction

More than 2.000 years ago, the small Ubian settlement on the left bank of the Rhine became a Roman army camp and, in 50 A.D., a full-fledged Roman »colonia«. Over the centuries Cologne has risen to a vibrant metropolis attracting the best in culture, economy and media.

Strolling through the city, you will come across some impressive remnants of its eventful past from Roman to modern times. Among the most remarkable examples are the three remaining city gates: »Eigelsteintor«, »Hahnentor«, and »Severinstor«. They were part of the city's medieval fortifications, which belonged to the most powerful of their time.

Because of its rising importance Cologne became an archdiocese in 785 A.D. Its numerous churches bear witness of this religious past – and they are definitely worth a visit.

With its vast hinterland and the most densely populated city centre of Europe Cologne is a melting pot. Thus, the city is breathtakingly crowded with people all year round. A good way to explore the lively city centre is to start at the central station next to the cathedral and take a stroll along the shopping streets of Cologne such as »Hohe Straße« and »Schildergasse« swarming with people. If you venture into the small alleys and streets to both sides of the busy pedestrian areas, you can easily discover some of the famous sights such as »Gürzenich« hall, the opera house, and »Alter Markt« square with its medieval buildings and picturesque fountain.

If you prefer a little peace and quiet, why not take a walk along the Rhine promenade and into the narrow medieval alleys of the historic centre. Here you can also find cafés, restaurants and pubs, in which you can take a rest and enjoy the famous local beer »Kölsch«.

After your break, there are numerous reminders of Cologne's great past waiting to be discovered, like the old Roman sewer, the mikwe (medieval Jewish bathing house) or the town hall with its renaissance porch from the 16th century and its tower from the 15th century.

One thing definitely not to miss is Cologne cathedral, which was not finished until 1880, nearly 1.000 years after the first plans had been made. Rising right in the middle of the city to a height of 157 meters, it is the biggest cathedral in Germany. But work has never really »finished« on this amazing building, as environmental influences like rain, wind and pollution continuously gnaw at the substance of the church. It is the responsibility of the »Dombauhütte« to maintain the building and to repair and replace damaged parts.

During the day you can watch sculptors and masons of the »Dombauhütte« working in their courtyard below the »Domplatte«. Inside you will find invaluable treasures such as the Sarcophagus of Epiphany (dating from the 13th century) that surpasses all comparable golden sarcophagi in western Christendom, in terms of scale and magnificence. Other outstanding works of art are to be found in the cathedral treasure chamber.

If you are not afraid of heights and feel fit, climb the 509 steps of the southern spire past the largest swinging bell in the world, St. Peter (commonly dubbed »Dicker Pitter«), and on to the 97 meters high lookout platform. You will be rewarded with a magnificent view over the city and its surroundings.

Furthermore, Cologne offers a range of spectacular museums. For example the »Römisch-Germanisches Museum« with its famous Dionysos mosaic, the »Wallraf-Richartz« museum and museum Ludwig with the »Agfa Photo Historama«, which you will find directly beside the cathedral. A little further off lie the »Imhoff-Stollwerk« chocolate museum, the city museum, and the »Museum für angewandte Kunst«.

Other tourist attractions are the Media Park, the Zoo, the »4711 Haus«, the philharmonic hall, the »Overstolzenhaus«, the »Bayenturm«, and the old warehouses of »Rheinau« port.

This is only a short introduction to a fascinating city and if this photo guide has made you curious, why not come to Cologne and see and discover for yourself?

Historical Data

38 B.C. Julius Caesar places an army camp next to an Ubian settlement where today is the city of Cologne.

50 A.D. After decades as an army camp Cologne becomes a Roman city.

90 A.D. Cologne becomes the provincial capital of *germania inferior.*

200 A.D. Roman soldiers bring the Christian faith to Cologne.

785 A.D. Charlemange founds the archdiocese of Cologne.

881 A.D. The Normans raid and destroy Cologne.

1164 A.D. Rainald von Dassel, imperial chancellor and archbishop of Cologne, brings the relics of the »Three Magi« to Cologne.

1180 A.D. The old Roman fortifications are razed and replaced by a giant city wall. Three gates (»Severinstor«, »Hahnentor«, and »Eigelstein-tor«) as well as some parts of the wall can still be found.

1248 A.D. The foundation stone of Cologne cathedral is laid. The burial church is to become the mightiest cathedral north of the Alps. In the 16th century the construction is discontinued. The cathedral is finally completed in 1880.

1259 A.D. Cologne is granted Staple Rights, which dramatically boosts the city's economic growth.

1288 A.D. The citizens of Cologne defeat the archbishop's army in the Battle of Worringen.

1348 A.D. The plague breaks out.

1349 A.D. In the wake of the plague the first pogrom against the Jews occurs.

1388 A.D. Cologne citizens found the first municipal university. It is closed down by the French in 1798.

1396 A.D. The craftsmen's guilds succeed over the city's aristocracy in their fight for a new city constitution (»Verbundbrief«).

1618–1648 A.D. During the Thirty Years' War, the free imperial city of Cologne declares itself neutral and survives this period relatively unharmed.

1794 A.D. Cologne is occupied by the French revolutionary troops. Old laws and privileges are abolished.

1797 A.D. Protestants are granted full municipal citizenship.

1802 A.D. The first German Chamber of Commerce is founded in Cologne.

1815 A.D. The French occupation ends. Cologne and the Rhineland become part of Prussia.

1859 A.D. The first permanent bridge over the Rhine is built.

1881 A.D. The city wall is grazed to make room for industrial districts. A ring of streets is built in its place.

1917 A.D. Konrad Adenauer becomes Lord Mayor of Cologne.

1919 A.D. The university is re-opened by Mayor Adenauer.

1924 A.D. Foundation of the Cologne Fair (»Köln Messe«).

1933 A.D. The Nazi government dismisses Mayor Adenauer.

1939–1945 A.D. 90 % of the city centre and 72 % of the municipal area of Cologne are destroyed during World War II.

After World War II the citizens quickly try to rebuild their city and Cologne starts into a new era of economic growth and cultural wealth.

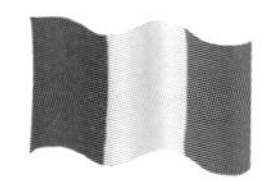

Introduction

Le campement romain fut créé il y a plus de 2000 ans. Au cours des siècles Cologne s'est développée en métropole de la culture, de l'économie et des médias.

L'influence romaine se manifeste aujourd'hui à de nombreux endroits comme vous pourrez le constater au cours d'un tour de ville. Le »Eigelsteintor«, le »Hahnentor« et le »Severinstor« sont les trois portes qui sont restées de l'ancienne fortification moyenâgeuse – fortification la plus puissante de l'Europe à l'époque.

En 785, Cologne devient l'archevêché Cologne grâce à son expansion constante. Le nombre des grandes églises qui valent la visite témoignent le passé réligieux des habitants.

Cologne – qui est pleine de vie – avec son grand Bassin et son centre ville le plus densement colonisé en toute Europe est insupportablement surpeuplé à toute heure: commencant la promenade à la gare centrale, à travers la »Domplatte, passant le »Hohe Straße« et le »WDR«, continuant par le »Gürzenich«, la »Schildergasse«, montant le »Neumarkt« vers le »Hahnentor«, le long du »Ring«, et retournant par la »Ehrenstraße« et la »Breite Straße« jusqu'à la »Hohe Straße« où dominent la foule et le commerce.

Après vous être frayé un chemin à travers toutes ces rues marchandes avec tous les magasins, ces boutiques de luxe et les galeries marchandes, reposez-vous par une promenade sur les bords du Rhin en flânant dans toutes les ruelles de la vieille ville et en commandant un »Kölsch« dans un des nombreux cafés, restaurants ou brasseries par le »Köbes« – la bière locale servie par le garcon qu'on appelle »Köbes« ici.

La vieille ville de Cologne est pleine de témoignages du passé, que ce soit le »Prätorium« (le prétoire) sous l'hôtel de ville, les canaux d'égouts romains, le »Mikwe« – piscine rituelle de la communauté juive du Moyen ge – ou l'hôtel de ville avec sa galerie en arcades Renaissance du 16e siècle. La tour de l'hôtel de ville érigée au début du 15e siècle réflétait l'assurance de la bourgeoisie.

On doit à tout prix visiter la cathédrale de Cologne dont la construction s'est étendue sur plusieurs siècles. Elle était concue comme la plus grande cathédrale du monde. Elle se situe juste au coeur de Cologne et fait partie des ouvrages chrétiens les plus importants. Si vous êtes venu à Cologne en train, vous avez eu une vue impressionnante de ses deux grandes tours. La cathédrale a été terminée en 1880, presque 1000 ans après la première ébauche. Pourtant, elle n'est pas terminée comme le prouvent les cabanes de chantier. On s'affaire à effacer les préjudices du temps. Ces travaux sont financés par des dons, des aides de la ville, des impôts de l'église et une grosse partie par la loterie de la cathédrale dont les points de vente se trouvent partout dans la ville.

C'est fascinant de se trouver dans la nef, de regarder les bijoux précieux de la cathédrale et de monter les 509 marches de la tour sud qui mènent le long la plus grosse cloche du monde, la »Petersglocke« – ou comme les habitents de Cologne l'apellent »de Decke Pitter« – à la plate-forme panoramique haute de 97 m. En recompense, on aura une vue superbe sur Cologne et sur toute la région.

On ne passera pas au silence les musées de Cologne, comme le »Römisch-Germanisches Museum« (le musée du passé romain-germanique) au pied de la cathédrale avec la célèbre mosaique de Dionysos, le »Wallraf-Richartz-Museum«, le »Museum Ludwig« avec le »Agfa-Foto-Historama« (une collection de photos), le »Imhoff-Stollwerk-Museum«, le »Stadtmuseum« (le musée de la ville), le musée des arts appliqués ou le musée de l'art de l'Asie orientale au bord d'un petit étang nommé »Aachener Weiher«.

N'oubliez pas le »Mediapark«, le zoo, le »4711 Haus« à côté de l'opéra, le »Overstolzenhaus«, la »Bayenturm«, et les entrepôts du port.

S'il vous reste encore du temps, allez visiter le »Vringsveedel« (qu'on appelle aussi le »Severinsviertel«), quartier très animé dans le sud de la ville.

Nous espérons vous avoir rendu curieux de cette ville fascinante et nous vous souhaitons beaucoup de plaisir à la découverte des photographies et de la ville.

Chronologie

38 av. J.-Chr. Les Ubier s'établissent dans l'emplacement actuel de Cologne.

50 apr. J.-Chr. Cologne est élevée au rang de ville après avoir été un campement romain pendant des décennies.

90 Cologne devient la capitale des colonies romaines au nord de la Germanie.

200 Les soldats romains introduisent le christianisme à Cologne.

785 L'archevêché de Cologne fondé par Charlemagne.

881 Cologne est attaquée et détruite par les Normands.

1164 Le chancelier d'empire et l'archevêque de Cologne Rainald Dassel emportent les reli ques des Rois mages à Cologne.

1180 Les anciennes fortifications romaines sont rasées et remplacées par une nouvelle enceinte puissante. Les trois portes »Hahnentor«, »Severinstor« et »Eigelsteintor« et quelques restes du mur témoignent cette époque même aujourd'hui.

1248 On pose la première pierre de la cathédrale qui devait être la cathédrale la plus imposant au nord des Alpes. On arrête les travaux de construction au 16e siècle. En 1880, la cathédrale est inaugurée.

1259 Cologne obtient l'autorisation d'entrepôt ce qui contribue au développement économique.

1288 La bataille de Worringen, les habitants de Cologne vainquent l'archevêque et son armée.

1348 La peste se déclare à Cologne.

1349 L'épidémie de peste provoque des pogromes.

1388 Les habitants de Cologne créent et financent la première université de la ville qui est sup primée par les arméss d'occupation francaises en 1798.

1396 Les confrérie artisanales s'imposent aux nobles de la ville et acquièrent une nouvelle constitution.

1618–1648
Pendant la guerre de Trente Ans Cologne, ville libre impériale se déclare neutre. Elle sort indemne de cette période.

1794 Les troupes francaises occupent Cologne. Par conséquent, des anciens droits et lois sont abolis à l'instar de la Révolution francaise.

1797 Les protestants obtiennent les droits civils et politiques.

1802 Création de la première chambre de commerce allemande.

1815 La fin de l'occupation francaise. Au congrès de Vienne les Prussiens obtiennent Cologne.

1859 Construction du premier pont solide traversant le Rhin.

1881 L'enceinte de la ville est détruite pour l'extension des zones industrielles. Ìci, on construit des boulevards périphériques – les »Ringstraßen«.

1917 Konrad Adenauer devient maire de Cologne.

1919 M. Adenauer ouvre à nouveau les universités.

1924 Création de la Foire de Cologne.

1933 M. Adenauer est démis de ses fonctions par les nazis.

1939–1945
Cologne est détruite à 72 %, la vieille ville même à 90 %.

Après la guerre, la reconstruction très rapide de Cologne commence.

Die spätromanische Kirche St. Maria Lyskirchen am Holzmarkt
Late Romanesque church »St. Maria Lyskirchen« on »Holzmarkt«
L'église romaine »St. Maria Lyskirchen« sur le »Holzmarkt«

Rheinufer Promenade mit Pegel
The Rhine promenade with watergauge
Promenade sur les bords du Rhin

links oben / top left / à gauche
Der Gürzenich, Kölns »gute Stube«
»Gürzenich« hall, City of Cologne's »parlour«
»Gürzenich« bâtiment civile datant du début de la ville

St. Michael und Brüsseler Platz
Church »St. Michael« and »Brüsseler Platz«
L'église »St. Michael« et la »Brüsseler Platz«

Der Kölner Stadtteil Deutz und die Schiffbrücke
Cologne quarter »Deutz« and pontoon-bridge
Le quartier »Deutz« et le pont de bateaux

Straßenbahn am Kaiser-Wilhelm-Ring
Cable car on »Kaiser-Wilhelm-Ring«
Tramway sur le »Kaiser-Wilhelm-Ring«

Der Kölner Dom mit Hohenzollernbrücke
Cologne cathedral and »Hohenzollernbrücke«
La cathédrale de Cologne avec le »Hohenzollernbrücke«

Alter Markt
»Alter Markt«
»Alter Markt«, le vieux marché

Die dreibogige Hohenzollernbrücke
The three arches of the »Hohenzollernbrücke«
Le »Hohenzollernbrücke« et ses trois arches

Kölner Dom, rechts der Hauptbahnhof
Cologne cathedral with central station to the right
La cathédrale de Cologne à droite de la gare centrale

Rheinauhafen mit Malakoffturm
Rheinau port with »Malakoff« tower
Le port du Rhin avec la »Malakoffturm«

Blick vom Dom auf St. Kunibert und das Messegelände
View from the cathedral towards »St. Kunibert« and the fairgrounds
Vue de la cathédrale sur »St. Kunibert« et sur le parc des expositions au fond

Dom mit Wallrafplatz
in den 30er-Jahren

Cologne cathedral and
»Wallrafplatz« (1930s)

La cathédrale avec la
»Wallrafplatz«
dans les années 30

Kölner Dom mit Musical-Dom
Cologne cathedral with the »Musical Dom« theatre
La cathédrale de Cologne avec le théâtre musical

Museum Ludwig mit den Türmen des Kölner Doms

Ludwig museum with the towers of Cologne cathedral in the background

Le musée »Ludwig« avec les tours de la cathédrale de Cologne

Hohenzollernbrücke mit Kölner Dom
von der rechten Rheinseite gesehen

»Hohenzollernbrücke« with Cologne cathedral
as seen from the right bank of the Rhine

»Hohenzollernbrücke« avec la cathédrale de
Cologne vus du côté droit du Rhin

Blick vom Messeturm auf die Kölner Altstadt

View from the fairground tower onto the old town of Cologne

Vue de la tour du parc des expositions sur le centre ville de Cologne

Blick vom Messeturm auf das 1924/25 erbaute, zur damaligen Zeit höchste Hochhaus Europas

View from the fairground tower onto the 1924/25-built high-rise, back then the Europe's highest skyscraper

Vue de la »Messeturm« sur la tour érigée en 1924/1925 qui à son époque était la tour la plus haute d'Europe

Der neue Hotel- und Wohnturm im Mediapark auf dem ehemaligen Gelände des Güterbahnhofs

The new »Köln Tower« office building in the »Media Park« on the premises of the former cargo station

Le nouvelle tour dans le »Media Park« sur l'ancien terrain de la gare des merchandises

Hohenzollernbrücke

Rheinufer - Promenade
Promenade along the banks of the Rhine
La promenade au bord du Rhin

Das ab 1215 entstandene romanische Gotteshaus St. Kunibert ist die jüngste und stilistisch einheitlichste Kirche Kölns

The Romanesque church »St.Kunibert«, built from 1215 onwards, is the youngest and stylistically most homogeneous church of Cologne

L'église »St. Kunibert« de style romain érigée en 1215 est l'église de Cologne la plus jeune et la plus homogène

Eines der vier Reiterstandbilder auf der Hohenzollernbrücke
One of the four equestrian statues on the »Hohenzollernbrücke«
Une des quatre statues de chevalier sur le »Hohenzollernbrücke«

Das ehemalige Wahrzeichen von Köln – Groß St. Martin mit dem Vierungsturm.

Cologne's former landmark: church »Groß St. Martin« with its crossing tower

L'ancien symbole de Cologne: L' église »Groß St. Martin« avec la tour-lanterne

Restaurierter Hauptbahnhof am Breslauer Platz

The restored central station at »Breslauer Platz«

La gare centrale restaurée sur la »Breslauer Platz«

Köln ist schön!
Cologne – simply beautiful!
La belle Cologne!

Vorplatz des Hauptbahnhofs
Square in front of the central station
La place devant la gare centrale

Heinzelmännchenbrunnen von 1899

»Heinzelmännchen« fountain, built 1899

Le »Heinzelmännchenbrunnen«,
fontaine contruite en 1899

Der Roncalliplatz mit Dom

»Roncalliplatz« with Cologne cathedral

La »Roncalliplatz« avec la cathédrale

Blick vom Kölner Dom auf die Altstadt mit Groß St. Martin

View from Cologne cathedral onto the old town and church »Groß St. Martin«

Vue de la cathédrale de Cologne sur le centre ville et »Groß St. Martin«

Blick über den Rhein auf die Köln Messe

View over the Rhine towards the Cologne fairgrounds

Vue sur le Rhin et le parc des expositions de Cologne

St. Andreas mitten im Bankenviertel Kölns unweit des Kölner Doms

Church »St. Andreas« in the middle of the banking district, near Cologne cathedral

»St. Andreas« au milieu du quartier des banques à proximité de la cathédrale de Cologne

Blick über Köln
View over Cologne
Vue sur Cologne

Blick auf die dreibogige Hohenzollernbrücke

View onto the three arches of the »Hohenzollernbrücke«

Vue sur le »Hohenzollernbrücke«, pont à trois arches

Die ehemalige Jesuitenkirche Maria Himmelfahrt wurde 1678 eingeweiht.

Former Jesuit church »Maria Himmelfahrt«, consecrated in 1678

»Maria Himmelfahrt«, ancienne église de jésuite

Modell des Prätoriums
Model of the Roman praetorium
Maquette du prétoire romain

Die Überreste des Prätoriums im Kellergewölbe des Rathauses
Remains of the Roman praetorium beneath the town hall
Les ruines du prétoire dans les caves voûtées de l'hôtel de ville

Römischer Pflasterstein mit Hundepfotenabdruck
Roman paving stone with impressions of dog's paws
Pavé romain avec des empreintes des pattes de chien

Römischer Abwasserkanal
Roman sewer
Canal d'égout romain

Der frühbarocke Bau des ehemaligen Zeughauses wurde in den Jahren 1594 bis 1606 errichtet und beherbergt heute das Kölnische Stadtmuseum.

The early baroque »Zeughaus« (arsenal) was built between 1594 and 1606. Today it houses the Cologne City Museum.

Bâtiment baroque de l'ancien arsenal (»Zeughaus«) érigé entre 1594 et 1606 qui abrite aujourd'hui le musée de la ville de Cologne.

Der Riss
im Himmel
Clemens August und seine Epoche
Bonn · Brühl · Jülich · Köln · Miel
Das Kölnische Stadtmuseum
zu Gast in Schloss Augustusburg Brühl
Ausstellung

Der reichverzierte, ca. 50 nach Chr. erbaute westlich des Zeughauses liegende Römerturm ist der schönste Rest der ersten Kölner Stadtmauer.

The richly decorated Roman tower was built around 50 A.D. It is located near the »Zeughaus« and regarded the most beautiful remnant of Cologne's first town fortification.

Le »Römerturm« richement décoré, datant de 50 après Jésus Christ. Erigée à l'ouest de l'arsenal, la tour romaine est le plus beau reste du premier rempart de la ville de Cologne.

St. Kolumba – ehemals die bedeutendste und reichste Kirche Kölns

»St. Kolumba«, formerly the most important and richest church of Cologne

»St. Kolumba«, autrefois l'église la plus importante et la plus riche de Cologne

BREITE STRASSE
Breite Str

links / left / à gauche
Die WDR-Arkaden erinnern bewusst an lockere Containerstapelungen.

The »WDR arcades« are to remind of containers loosely piled up.

Les »WDR-Arkaden« font penser à un entassement de containers.

WDR-Gebäude über der Nord-Süd-Fahrt

»WDR« buliding, built across »Nord-Süd-Fahrt« (a main thoroughfare)

Le bâtiment WDR au dessus de la »Nord-Süd-Fahrt«

Opernhaus am Offenbachplatz (1954–57) mit dem Opernbrunnen (1966). Teile der Mosaiken stammen von der Onassis-Yacht und der Berliner Gedächtniskirche.

Opera house on »Offenbachplatz« (1954–57) with the »Opernbrunnen« (1966): Parts of the mosaics are from Onassis's yacht and the Berlin »Gedächtniskirche«.

L'opéra sur la »Offenbachplatz« (1954-57) avec le »Opernbrunnen« (1966). Une partie des mosaïques provient du yacht des Onassis et de la »Berliner Gedächtniskirche«.

Haus »4711« an der Glockengasse neben dem Opernhaus

The »4711 House« on »Glockengasse« next to the opera

»4711 Haus«, maison dans la »Glockengasse« en face de l'opéra

NEUMARKT GALERIE
NEUMARKT GALERIE
Direkt genommen

links / left / à gauche
Die neu eröffnete Neumarkt-Gallerie

The newly opened »Neumarkt gallery«

Le tout nouveau »Neumarkt-Gallerie«

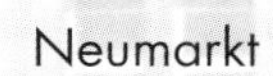
Neumarkt

Das neue Gebäude der Stadtsparkasse an der Pilgrimstraße

New building of the »Stadtsparkasse« on »Pilgrimstraße«

Le nouveau bâtiment de la »Stadtsparkasse« sur la »Pilgrimstraße«

Die Hahnentorburg am Rudolfplatz

»Hahnentorburg« gate on »Rudolfplatz«

La »Hahnentorburg« sur la »Rudolfplatz«

Die Hahnentorburg, schönstes und bedeutendstes Tor der Stadtmauer am Rudolfplatz. Durch dieses Tor zogen die in Aachen gekrönten Könige in die Stadt ein.

The »Hahnentorburg« gate on »Rudolfplatz« is the most beautiful and important of the city gates. After their coronation in Aachen, kings used to march into town via this gate.

La »Hahnentorburg« sur la »Rudolfplatz«, la porte la plus belle et la plus importante de l'enceinte de la ville. C'est par cette porte que es rois couronnés à Aix-la-Chapelle sont entrés dans la ville.

Der Kölner Fernsehturm mit dem Mediapark im Vordergrund

Cologne's television tower with the »Media Park« in front

La tour de télévision de Cologne. Au premier plan le »Media Park«

Der Köln-Tower im Mediapark

The new »Köln Tower« in the »Mediapark«

La »Köln Tower« dans le »Mediapark«

SATURN
SATURN

links / left / à gauche
Europas »erstes Hochhaus« hat 17 Stockwerke und den längsten Paternosteraufzug.

Europe's first skyscraper has 17 floors and the longest paternoster lift in Europe.

Le premier gratte ciel européen a 17 étages et l'élévateur à godets le plus long.

Gut erhaltener Teil der mittelalterlichen Stadtmauer am Hansaring

Well-preserved part of the medieval city-wall on »Hansaring«

Une partie de l'enceinte moyenâgeuse de la ville très bien conservée à côté de »Hansaring«

Die Eigelsteintorburg wurde im 13. Jahrhundert in den Bau der mittelalterlichen Stadtmauer einbezogen.

In the 13th century the »Eigelsteintorburg« gate became part of the medieval city-wall.

La »Eigelsteintorburg« a été construite au 13e siècle dans l'enceinte moyenâgeuse de la ville.

Das Eigelsteinviertel nahe dem Ebertplatz bietet typisch kölsches Ambiente mit vielen Geschäften und Lokalen verschiedenster Nationalitäten.

»Eigelstein« quarter near »Ebertplatz«: a district typical of Cologne with many shops and restaurants of all nationalities.

Le quartier »Eigelstein« près de la »Ebertplatz« propose une ambiance typique de Cologne avec beaucoup de magasins et restaurants de différintres nationalités.

Der moderne Museumskomplex der Architekten Peter Busmann und Godfrid Haberer

The modern museum complex by architects Peter Busmann and Godfrid Haberer

Le paté de musées moderne des architectes Peter Busmann et Godfrid Haberer

Alter Markt mit dem
Jan-von-Werth-Brunnen von 1864

»Alter Markt«
with »Jan-von-Werth« fountain (1864)

Le »Alter Markt« avec le »Jan-von-Werth-
Brunnen«, fontaine construite en 1864

Tünnes und Schäl – die Kölner Originale

»Tünnes« and »Schäl« – two Cologne originals

»Tünnes« et »Schäl« – les originaux de Cologne

Millowitsch-Denkmal vor dem Hänneschen Theater am Eisenmarkt

»Millowitsch« statue in front of the »Hänneschen« theatre on »Eisenmarkt«

»Millowitsch«, statue devant le »Hänneschen-Theater« sur le »Eisenmarkt«

Rheinuferpromenade mit dem
Vierungsturm Groß St. Martin

Rhine promenade with the crossing
tower of »Groß St. Martin«

La promenade sur les bords du Rhin
avec la tour-lanterne de
»Groß St. Martin«

Groß St. Martin im Martinsviertel

»Groß St. Martin« amidst the maze of narrow alleys of the »Martin« quarter

»Groß St. Martin« dans le quartier »Martin«

Groß St. Martin von der Altstadtpromenade aus gesehen

»Groß St. Martin« as seen from the Rhine promenade

»Groß St. Martin« vue de la promenade de centre ville

RHEINGOLD

Das schönste Stück der Altstadtpromenade

The most beautiful part of the old town promenade

La plus belle partie de la promenade de la vieille ville

Rathausturm mit Renaissancelaube. Erbaut im 15. Jahrhundert als Symbol des Sieges über die Patrizier.

Town hall with Renaissance porch built in the 15th century to reflect the new self-consciousness of the middle classes.

La tour de l'hôtel de ville avec sa galerie d'arcades Renaissance. Construite au 15e siècle comme symbole de la victoire sur les Patriciens.

Der reich verzierte 61 Meter
hohe Rathausturm

The richly decorated, 61 m high
tower of the town hall

La tour de la mairie richement
ornée haute de 61 mètres

Das Imhoff-Stollwerck-Schokoladenmuseum erinnert an die Form eines Schiffsrumpfes.

The shape of the »Imhoff-Stollwerck« chocolate museum reminds of a ship's hull.

Le musée du chocolat »Imhoff-Stollwerck« rappelle la coque d'un bateau.

Die Drehbrücke mit Malakoffturm vom Schokoladenmuseum aus gesehen

Turn-bridge with »Malakoff« tower, as seen from the chocolate museum

Le pont tournant avec la »Malakoffturm« vu du musée du chocolat

Das Imhoff-Stollwerck-Museum

The »Imhoff Stollwerck« museum

Le musée »Imhoff Stollwerck«

Der »Tauzieher« wurde 1908 von Nikolaus Friedrich errichtet.

The »Tauzieher« statue was built in 1908 by Nikolaus Friedrich.

Le »Tauzieher« a été érigé en 1908 par Nikolaus Friedrich.

Blick auf das Sportmuseum

View onto the sports museum

Vue sur le musée des sports

links / left / à gauche
Der Malakoffturm, ehemals Bestandteil der preußischen Befestigungsanlage, beherbergt den Mechanismus der Drehbrücke.

The »Malakoff« tower, formerly part of the Prussian fortifications, now houses the mechanism of the turn-bridge.

La »Malakoffturm« ancienne partie de la fortification prussienne, abrite le mécanisme du pont tournant.

Die restaurierte Drehbrücke, welche die ehemalige Insel Rheinau mit dem Festland verbindet.

The restored turn-bridge which links the former island »Rheinau« to the mainland.

Le pont tournant restauré qui relie l'ancienne île »Rheinau« avec la terre ferme.

Der Rheinauhafen mit Blick auf Köln

View from the Rheinau port towards Cologne

Le port avec vue sur Cologne

Die Severinsbrücke, eine
der sechs Kölner Brücken

The »Severinsbrücke«, one of Cologne's six
bridges across the Rhine

Le »Severinsbrücke«, un des 6 ponts de Cologne

Die Siebengebirgslagerhäuser hinter dem Rheinauhafen

The »Siebengebirge« (seven mountains), the warehouses of Rheinau port

Les entrepôts derrière le port »Rheinau«, appelés »Siebengebirge«

Lagerhäuser am Rheinauhafen | Warehouses near Rheinau port | Entrepôts sur le port »Rheinau«

Der Bayenturm diente im 17. und 18. Jh. als Festungsgefängnis.

During the 17th and 18th century, the »Bayenturm« served as prison fortress.

La »Bayenturm« servait au 17e et 18e siècle de prison.

Severinstorburg am Chlodwigplatz

»Severinstorburg« gate on »Chlodwigplatz«

»Severinstorburg« sur la »Chlodwigplatz«

Die Ulrepforte – erhalten gebliebener Teil der ehemaligen Stadtmauer.

The »Ulrepforte« gate, remnant of the former city-wall.

La »Ulrepforte«, partie restante de l'ancienne enceinte.

Messeturm der Kölner Messe

The tower of the Cologne fair

La tour du parc des expositions

Blick vom Messeturm über die
Köln-Messe zur Köln-Arena

View from the fairground tower
over the halls of Cologne Fair with the »Köln Arena« in the background

Vue de la tour sur le parc des expositions jusqu'à la »Köln Arena«

Wallraf-Richartz-Museum und Museum Ludwig

Wallraf-Richartz museum and Ludwig museum

»Wallraf-Richartz-Museum« et »Museum Ludwig«

Die Nachbildung der Kreuzblume des Doms

Replica of the cathedral's finials

Reproduction d'un des fleurons de la cathédrale

Der 1997 restaurierte Gürzenich
mit seinem gläsernen Aufzugsturm

»Gürzenich« hall, restored 1997,
with its glass elevator

Le »Gürzenich« restauré en 1997
avec son ascenseur en verre

ALTER WARTESAAL

Der Alte Wartesaal

The central station's old waiting room

L'ancienne salle d'attente de la gare centrale

Eine ungewöhnliche Ansicht des Kölner Doms

An unusual view of Cologne cathedral

Un côté insolite de la cathédrale de Cologne

CCAA
CCAA

Weiberfastnacht auf dem Alter Markt

»Weiberfastnacht« (thursday before Shrove Monday) on »Alter Markt«

»Weiberfastnacht« (jeudi avant lundi gras) sur le »Alter Markt«